D0529842

Lia dans l'autre monde

collection libellule

sous la direction de
Yvon Brochu

DE LA MÊME AUTEURE

Chez Héritage :

La revanche du dragon, 1992
Un voyage de rêve, 1993
Les cartes ensorcelées, 1993
C'est pas tous les jours Noël, 1994
Lia et le nu-mains, 1994
Lia et les sorcières, 1995
Mes parents sont fous, 1996

Chez Pierre Tisseyre :

Micha au grand magasin, 1990
Micha et la visite, 1991
Mozarella, 1994

Lia dans l'autre monde

Danielle Simard

Illustrations
Philippe Béha

EH Héritage jeunesse

Données de catalogage avant publication (Canada)

Simard, Danielle, 1952-

Lia dans l'autre monde

(Collection Libellule)
Pour les jeunes de 8 à 12 ans.

ISBN 2-7625-4097-6

I. Titre. II. Collection.

PS8587.I287L48 1996   jC843'.54   C96-940314-3
PS9597.I287L48 1996
PZ23.S55Lic 1996

Sous la direction de Yvon Brochu, R-D création enr.
Conception graphique de la couverture : Flexidée
Illustrations : Philippe Béha
Réviseur-correcteur : Maurice Poirier
Mise en page : Jean-Marc Brosseau

© Les éditions Héritage inc. 1996
Tous droits réservés

Dépôts légaux : 3e trimestre 1996
Bibliothèque nationale du Québec
Bibliothèque nationale du Canada

ISBN : 2-7625-4108-5   Imprimé au Canada

LES ÉDITIONS HÉRITAGE INC.
300, rue Arran, Saint-Lambert (Québec)
Téléphone : (514) 875-0327
Télécopieur : (514) 672-5448
Courrier électronique : heritage@mlink.net

Les éditions Héritage inc. bénéficient du soutien
financier du Conseil des Arts du Canada pour leur
programme de production.

*À toutes les petites fées qui vont
de par le monde,
déguisées en humains.*

Avant-propos

Comme les choses ont changé! D'abord à Saugrenu. Puis dans ma tête à moi, Lia, petite princesse des fées.

Saugrenu, c'est le monde où je vis. Celui des fées, des sorcières, des ogres et des lutins. Avant, je pensais qu'il n'y en avait pas d'autre. Puis, j'ai rencontré Filip, un petit garçon qui sortait d'un trou... en pleine campagne, au pied d'un arbre! Le pauvre avait l'air perdu. Il m'a dit qu'il était un humain. Et moi, j'ai compris «un nu-mains». Parce qu'il avait les mains nues et qu'ici, on ne voit jamais ça. À Saugrenu, il est aussi impensable d'aller mains nues que nu-fesses!

Filip et moi, on est tout de suite devenus amis. Mais les adultes ont appris notre rencontre. Et ça leur a fait peur. Tellement, qu'ils ne supportent plus le moindre trou dans le sol du royaume. Ils bouchent tous ceux qu'ils découvrent!

—Aucun humain ne doit venir à Saugrenu! disent-ils. Les humains sont cruels. Ils ne cherchent qu'à s'emparer des fées, des sorcières, des ogres et des lutins, pour les enfermer dans des livres!

Qui sait?

En fait, on ne sait jamais. Avant, par

exemple, j'étais certaine que personne ne pouvait faire de magie à Saugrenu. Puis ma tante Ziza, une sorcière, a trouvé un très vieux livre de recettes magiques pour sorcières seulement : un grimoire. Et nous avons appris qu'il y a mille ans, les fées possédaient des baguettes magiques. Incroyable, mais vrai !

Grâce à la découverte de ma tante, les sorcières font de nouveau de la magie. Mais pas les fées. On n'a pas retrouvé de baguettes.

Ça, c'est pas juste ! Et j'ai décidé de prendre la chose en main.

J'écris ici mon troisième livre. Le premier racontait ma rencontre avec Filip, et le second, la découverte de ma tante Ziza. Je voulais que tout le monde connaisse ces événements-là. Même que je suis tombée sur un minuscule trou oublié et que j'y ai glissé mes livres. Pour qu'ils se rendent chez les humains. Chez Filip, peut-être...

Mais mon nouveau livre, lui, restera caché. Car l'histoire qu'il raconte doit pour l'instant demeurer secrète.

Chapitre 1

Avant que mon histoire commence

Réza, la fille de ma tante Ziza, est ma meilleure amie. Au lieu d'aller à l'école de sorcellerie avec les autres sorcières, elle m'aide dans ma chasse aux baguettes magiques. Toutes les deux, on se dit qu'il doit bien en rester une quelque part. Et qu'on va la trouver !

Facile à dire. Ça fait des mois que nous fouillons les vieilles maisons de notre grand royaume. Des mois que je teste des bouts de bois ou des tiges de métal oubliés dans les coins. Bouillie pour les chachouettes ! Sous les coups de ces baguettes minables, jamais rien ne veut changer : les tables demeurent des tables, les chaises des chaises et les imbéciles des imbéciles !

D'autres auraient abandonné. Mais pas nous. L'espoir renaît dès qu'on nous ouvre une nouvelle porte. Aujourd'hui, c'est celle d'un ogre.

—Bonjour, mes mignonnes, gronde-t-il de sa voix de tonnerre.

—Bonjour, monsieur, répond ma cousine. Nous cherchons des indices sur les pouvoirs perdus des fées. Votre maison est très vieille, peut-être y avez-vous des écrits anciens ou une baguette... mystérieuse ?

L'ogre réfléchit une seconde et demande :

—Une baguette de pain, est-ce que c'est assez mystérieux pour vous ? Ha ! Ha ! Ha !

Quand je dis que ce n'est pas facile ! Sans rire de cette blague idiote, nous tournons les talons.

—Oh ! et j'ai aussi un recueil de formules féeriques, si ça peut vous intéresser, reprend la forte voix dans notre dos.

Nous arrêtons net.

—Des formules quoi ? crions-nous en chœur.

En moins de deux, nous sommes assises à la table de l'ogre. Nous acceptons même de goûter à sa baguette de pain. C'est si bon avec de la confiture de frampoires !

—L'an dernier, j'ai voulu refaire le plafond, raconte notre hôte en déposant un gros livre devant nous. Et comme j'enlevais une vieille poutre, ce truc-là m'est tombé sur la tête. Drôles de poèmes. Écoutez-moi ça :

Oh ! crapaud peu fier,
Beau prince d'hier,
Proie de si baveuses sorcières,
Plaise à ma baguette de défaire
L'odieux sort qui crée ta misère.
Par elle, petit crapaud d'hier,
Te revoilà prince très fier !

—C'est une formule de fée ! que je m'écrie. Une formule pour renverser les sorts de sorcières. On touche au but !

—Elle ne me plaît pas, cette formule, fait ma cousine d'un air boudeur.

—Il y en a d'autres ! lance l'ogre. Tenez, voici ma préférée :

L'eusses-tu cru,
Ogre ventru ?
Par ma baguette tendue
Seras bientôt devenu,
L'eusses-tu cru,
Ogre velu !

Les yeux brillants, l'ogre soupire :

—Ah, si seulement ça pouvait marcher. J'ai toujours rêvé de perdre mon gros ventre, moi, et d'avoir du joli poil lustré.

Soudain, tout s'éclaire dans ma petite tête de fée : ce ne sont pas les baguettes qui sont magiques, ce sont les formules ! Et du moment qu'on les a trouvées...

—Monsieur, que je m'exclame aussitôt, donnez-moi une baguette, n'importe laquelle, et j'exauce votre souhait !

—Dommage ! se moque-t-il, nous

avons mangé la seule que j'avais.

C'est bien le moment de faire des sourissingeries. Je reviens à la charge :

—Un peu de sérieux, monsieur! Vous n'avez pas une branche? Un tisonnier?

—Bah!... y a ma chaise en morceaux, là, dans le coin. La dernière victime de mes kilos en trop.

Parfait, ce barreau de chaise! Joliment sculpté et peint en or. Nom d'une poulpie à six pattes, ça va marcher! Mon cœur cogne alors que je prononce la formule jusqu'à ces derniers mots : «Seras bientôt devenu, l'eusses-tu cru, ogre velu!»

—Non, je ne l'eusse pas cru, blague encore notre homme.

Et il n'a pas tort. Banananas pourri! J'ai beau agiter mon bout de bois

autour de l'ogre, ses poils restent plus tordus que des queues de crocochons. Quant à sa monstrueuse bedaine, elle n'a même pas fondu d'un seul milligramme. C'est vraiment trop dur de faire de la magie! Des vapeurs de colère me sortent par les oreilles. J'explose! Par en dedans. Sans perdre aucun morceau, sauf cette stupide baguette dorée que j'envoie voler contre le mur.

—Écoutez, monsieur, supplie Réza. Laissez-nous votre livre de formules féeriques et, dès qu'on trouve la bonne baguette, on revient réaliser votre vœu! D'accord?

—Si ça peut vous faire plaisir.

* * *

Dire que je pensais alors toucher au but! Pourtant, les mois ont continué à passer, sans plus de résultats. Réza et moi, on a fabriqué des baguettes avec des branches de tous les arbres qui existent à Saugrenu. On les a même trempées dans tout ce qu'on peut imaginer : bave de crapouille, pipi de lapichien, larmes de jeune lutin accidenté et sang de ses genoux éraflés, banal jus de citronouille avec un soupçon de morve de sorcière. Quand je dis tout, c'est TOUT !

Mais RIEN, rien ne fonctionnait. À la fin, j'ai dit à Réza qu'elle serait mieux de retourner à l'école de sorcellerie. Elle n'allait tout de même pas se priver de faire de la magie, juste parce que moi, je ne pouvais pas en faire !

Et les sorcières ? N'ont-elles pas une formule magique pour changer les branches en baguettes de fées ? Encore de la bouillie pour les chachouettes : ni ma cousine ni sa mère n'ont jamais trouvé de truc semblable.

J'ai donc copié les formules féeriques dans mon cahier et j'ai finalement remis le gros livre de l'ogre à mon père, le roi Tio. J'abandonne aux savants du royaume le soin de découvrir le secret des baguettes magiques. S'ils en sont capables.

Chapitre 2

Là où mon histoire commence

Dans le fond, je ne suis pas fâchée d'avoir cessé mes recherches. Je suis de nouveau libre de m'amuser. Réza va à l'école de sorcellerie, et moi, je joue avec mon cousin Urso.

Urso est un petit ogre plus fou qu'un coucouistiti. C'est vrai, il saute de branche en branche dans les bois, galope à dos de kangazelle dans la brousse et fait la course avec les oissons dans l'eau. Il n'a peur de rien!

Ce qui fait que ce sont les autres qui ont tout le temps peur pour lui. Comme moi, en ce moment, qui tremble au bord du lac où nous nous baignons tous les deux. Sans permission.

C'est qu'Urso n'obéit pas souvent. Et que moi, je le copie tout le temps. Eh bien, je ne devrais pas.

Maman avait raison: il ne faut jamais se baigner sans la présence d'un adulte. Il y a déjà plusieurs minutes qu'Urso a plongé au fond du lac et il n'est toujours pas remonté. Et je suis toute seule ici! Qu'est-ce que je peux faire?

J'ai plongé, mais je ne l'ai pas vu. Aucune maison aux alentours, personne.

—Urso!

Il vient de bondir hors de l'eau! J'en tombe sur le dos. Et lui, il me saute dessus en riant.

—Tu n'es pas mort? que je murmure.

—Comme tu vois, répond-il entre ses éclats de rire.

—Alors, tu respires sous l'eau?

—Viens! crie-t-il en retournant dans le lac.

—Ah non! J'ai eu ma leçon. On rentre.

—Tu ne le regretteras pas, cousinette. J'ai fait une découverte EXTRA-ordinaire!

Quand les yeux d'Urso brillent de cette façon-là, je ne peux pas faire autrement que le suivre. Et désobéir. Et c'est de sa faute, pas de la mienne!

Je me glisse dans le lac. Pendant un moment, nous nageons sous l'eau, l'un derrière l'autre, et, oups! Urso disparaît à l'intérieur de la paroi rocheuse que nous frôlions. Une caverne!

À tâtons, je me guide le long de ce couloir de pierre qui monte, monte, monte. Je vais étouffer, si ça continue... Enfin! ma tête surgit hors de l'eau, nez à nez avec Urso qui sourit, ses orteils chatouillant les miens. J'ai beau être aussi essoufflée qu'un lapichien de course, je parviens tout de même à maugréer:

—C'est ça, ta découverte EXTRA-ordinaire?

—Penses-tu? fait-il tout en se mettant à escalader, à l'air libre, l'espèce de tuyau que forme la caverne au-dessus de nos têtes.

Une faible lumière en éclaire le sommet, mais avant de l'atteindre, mon cousin s'engouffre dans un autre passage. J'entends sa voix qui résonne:

—Viiiieeeennnns!

Et je lui obéis, comme toujours, en m'écorchant les genoux sur la pierre de ce nouveau conduit où il fait très noir. J'ai peur. Ah! revoilà un couloir un peu éclairé. On dirait un puits. Cette fois, Urso y descend, et je le vois rentrer dans l'eau en poussant son habituel «Viens!».

—Tu sais où ça mène, au moins?

Pas de réponse. Je m'agrippe au roc et je descends tout en gonflant mon ventre d'air. Sous l'eau, je dois lutter contre mon corps qui ne cherche, lui, qu'à se laisser remonter. C'est épuisant! Mais je ne suis pas moins forte que mon cousin et je m'enfonce toujours plus. Jusqu'à me retrouver sous un nouveau lac, où je m'élance à la surface. Ouf!

Nouveau lac? Urso est tout près, tapi sous une branche qui ploie au-dessus de l'eau. Je m'écrie:

—Tu parles d'une découverte! Toute cette frousse pour se retrouver dans le même lac!

—Chut! fait-il, l'index posé sur ses lèvres.

Puis, se penchant à travers le feuillage, il me montre du doigt le rivage. Oh! entre le grand érable et les autres arbres qui bordent habituelle-ment notre lac, se trouve une foule d'arbustes remplis de fleurs mauves. Et ces arbustes, je ne les ai jamais vus à Saugrenu!

Comme s'il craignait de réveiller les

bébés crapouilles endormis le long de la berge, Urso se laisse glisser sans bruit jusqu'à une branche voisine. Je l'imite et... là! je vois un enfant. Une petite fille aux mains nues!

Je suis tellement excitée que je voudrais crier. Mais j'utilise plutôt mon énergie à maintenir ma voix à son plus bas volume.

—Tu as trouvé un passage pour l'autre monde! que je murmure à l'oreille de mon cousin. C'est une numains. Euh... une humaine, je veux dire.

—Tu en es certaine? me demande-t-il, ébahi.

—On va lui parler!

—Es-tu folle? On ne sait jamais avec les humains. Ils sont dangereux!

—Pour les fées, les sorcières, les ogres et les lutins, peut-être. Mais on n'est pas obligés de lui dire qui nous sommes. Elle croira qu'on est des humains, comme elle.

—Et nos gants?

Ah oui! nos gants. Je m'apprête à les enlever, mais devant les yeux ronds de mon cousin, je me sens rougir jusqu'au bout des doigts. Alors, je me ravise et déclare:

—On lui dira que c'est un déguisement. Pour un jeu. Et puis, ne dis rien, laisse-moi faire!

Cette fois, c'est moi qui pars la première. À la nage. L'humaine est assise sur un rocher, au bord du lac. Elle ne bouge pas et tient, entre ses mains nues, une longue perche au bout de laquelle un fil plonge dans l'eau. Étrange.

Chapitre 3

Le jeu

La petite fille nous a aperçus. Elle sourit.

—Qu'est-ce que tu fais? demande ce coqcinelle sans cervelle d'Urso.

Je lui avais pourtant dit de se taire! L'humaine regarde curieusement mon cousin et laisse tomber:

—Bien, je pêche. T'es aveugle, ou juste imbécile?

Tiens! pour une fois, Urso a l'air d'éprouver une certaine crainte. Moi, je me montre brave et je grimpe sur la rive. Quelle serpuceronne, cette fille! Elle se met aussitôt à rire de mon maillot de bain, puis demande ce que je fais avec «ces gants ridicules».

—Oh! c'est pour un jeu, que je réponds, mine de rien. Moi et mon cousin, on est déguisés.

—En quoi?

—En fée et en ogre.

Aïe! J'ai lancé la première idée qui me passait par la tête. L'humaine éclate encore de rire et dit que c'est raté. Que, de toute façon, les ogres et les fées n'ont pas de gants.

—Qu'est-ce que tu en sais? lâche mon cousin qui sort de l'eau en bombant son torse poilu.

—Oh! c'est chouette, tous ces poils, reprend la fille plus gentiment. Ç'a dû être long à coller?

Je m'empresse de répondre avant Urso:

—Oui, très long! Tu ne peux pas savoir. Surtout ceux dans les oreilles.

Bizarre, cette enfant. Qu'est-ce qui peut bien l'obliger à rester ainsi, sans bouger? Je ne sais pas ce que c'est «pêcher», mais ç'a l'air terriblement ennuyant.

—Ça ne mord pas, soupire-t-elle.

—Ah! bon... Euh... Veux-tu jouer avec nous, plutôt? Moi, je serais une fée; mon cousin, un ogre et toi, une humaine. Tu nous ferais visiter le monde des humains. Qu'est-ce que tu en dis?

Là, j'ai eu une idée de génie! La fille

m'adresse un sourire complice; elle veut bien entrer dans le jeu. Sans que sa perche ne bouge d'un poil, la voilà même qui se met à crier:

—Une fée, un ogre... ici! Incroyable! Comment vous appelez-vous?

—Moi, c'est Lia, et lui, c'est Urso.

«Lia» la laisse plutôt froide. Mais «Urso», ça la fait bien rigoler. Elle demande alors à mon cousin son VRAI nom. Et comme il répète bête- ment: «Urs...», je le coupe pour dire le seul nom humain que je connaisse:

—Mon cousin s'appelle Filip. Et toi?

—Isabelle.

Loufoque! Urso ricane à son tour. Mais Isabelle ne le regarde même pas. Elle saute debout sur son rocher et hurle:

—Ça mord! Ça mord!

Plus agitée qu'une sourissinge, elle tente de retenir la perche qui plie jusque dans l'eau. En même temps, elle doit tourner une petite manivelle à la hauteur de sa main. Ça semble très compliqué et très important. D'un coup sec, elle lève soudain la perche en l'air. Le fil sort de l'eau et... Oh! il y a un oisson, au bout. Un oisson sans pattes, sans bec... et avec de toutes petites ailes!

—Il est gros! s'exclame Isabelle. Aidez-moi. Attrapez-le!

Urso court à l'eau et s'empare de l'animal. Celui-ci gigote entre ses mains, s'échappe et atterrit entre les rochers. Juste aux pieds de l'humaine qui s'accroupit pour ouvrir la curieuse bouche de l'oisson et en ressortir un petit crochet. Après quoi, elle se rassoit sur sa grosse pierre, soulève bien haut sa perche et continue de tourner la manivelle comme si de rien n'était.

— Mais qu'est-ce que tu fais ? s'étonne Urso. Remets-le dans l'eau. Il va mourir !

— Dis donc, Philippe, t'as pas fini de faire l'imbécile ? grogne la petite fille.

Je rectifie :

— Mon cousin ne fait pas l'imbécile, il fait l'ogre qui ne sait pas pourquoi les humains attrapent les oissons.

— Nous les mangeons, les POIssons, répond Isabelle avec un soupir d'agacement.

Urso pousse un grand cri et je dois le retenir à deux mains pour qu'il ne saute à la rescousse du pauvre oisson. Isabelle nous observe, sidérée. M'efforçant de rire, je lui explique que les

39

ogres détestent qu'on mange les...
« poissons ».

—Ah bon! Ils préfèrent manger les
enfants? demande-t-elle en jetant le
« poisson » dans un panier.

Urso crie de plus belle.

—Ouais, vous êtes pas mal amu-
sants, tous les deux, remarque Isabelle. Vous venez chez moi?

—Peut-être qu'elle veut nous manger, me chuchote Urso.

Isabelle, qui l'a entendu, s'esclaffe :

—Depuis quand les humains man-
gent-ils les ogres? Vous jouez à
l'envers!

À l'endroit ou à l'envers, je trouve ce
jeu génial : Urso et moi, on peut dire
n'importe quoi sans éveiller les soup-
çons.

Alors qu'Isabelle s'éloigne un peu de nous, je lance à mon cousin :

—Peu importe le danger, on la suit ! J'ai déjà manqué une chance de visiter le monde des humains et tu peux être sûr que je n'en manquerai pas une autre.

—À l'aventure ! s'exclame Isabelle qui gambade déjà de rocher en rocher, les bras écartés, son panier dans une main et sa perche dans l'autre.

Chapitre 4

Explorateurs en terre humaine

La petite fille prend pas mal d'avance sur nous. J'en profite pour dire à Urso :

—Arrête de trembler comme ça! Tant qu'elle croit que nous sommes des humains, il n'y a aucun danger.

—Tu lui as dit qu'on était une fée et un ogre.

—Pour un jeu! Comme ça, on va pouvoir poser toutes les questions qu'on voudra. Et elle va penser qu'on fait SEMBLANT de ne rien connaître. C'est complètement fou!

—Tu peux le dire.

J'empoigne Urso par le bras et je l'entraîne. Une fois les rochers passés, on court dans l'herbe et on rejoint vite Isabelle, malgré nos pieds nus. Quand elle demande où sont nos vêtements, je réponds qu'on est venus comme ça. Tout simplement. Et je pose ma première question:

—Ces belles fleurs mauves dans les arbustes, c'est quoi?

—Du LILAS, avec un seul L au milieu, un S à la fin et pas de Y. Mais c'est idiot, ton jeu. T'aurais pas une meilleure idée ?

Hummmmm ! Le nez dans les fleurs, je lui fais signe que non. Elle hausse les épaules et grimpe sur la butte voisine.

De là-haut, elle nous montre sa ferme : une curieuse maison... mais pas tant que ça ! Derrière, il y a d'autres bâtiments plus gros et sans fenêtres... Pas de village à l'horizon ! Seulement des champs.

Nous dévalons la pente comme des kangazelles en folie, poussant des cris de joie qui se transforment soudain en cris de terreur. Là ! dans un tintamarre étourdissant, un monstre de métal roule vers nous et crache sa fumée dans le ciel des humains !

Je me ressaisis vite. C'est sûrement une de ces zotos dont m'a parlé Filip, le nu-mains que j'ai déjà rencontré.

—Chouette! Mon père a réparé son vieux tracteur, lance Isabelle en pleine course vers sa maison. Allez, qu'est-ce qui vous prend? Suivez-moi!

Zut! ça ne m'en dit pas bien long sur les zotos. Par contre, je sais une chose: au pays des humains, c'est moi la brave. Ce pauvre Urso réussit encore à courir, mais il tremblote comme une mouchenille qui fuit un éléphang-outan.

Isabelle entre chez elle et claironne qu'elle a pris une grosse truite. Nom d'un céleradis à deux branches! C'est un poisson ou une truite? Elle dépose «l'animal» sur la table de cuisine. Sa mère nous rejoint et s'arrête net, les yeux braqués sur nous. Isabelle fait les présentations.

—Maman, voici mes amis, Lia et

Urso, une fée et un ogre. Et voici Marie-Claude, ma mère, ajoute-t-elle en s'adressant à nous.

Mariclode reste la bouche grande ouverte, comme l'oisson d'Isabelle. Alors, nous nous efforçons de rire du mieux que nous pouvons.

— Ils sont fous, hein, maman? s'exclame Isabelle. Est-ce qu'ils peuvent manger ici?

— Du poisson? demande Urso avec une grimace de dégoût.

— Des hot-dogs, peut-être? propose la mère, vite revenue sur terre.

— YÉ! crie Isabelle en levant le poing.

Nous l'imitons gaiement, lorsque Mariclode nous annonce qu'il faut d'abord *téléfoner* à nos mères afin d'obtenir la permission.

—Télé... quoi? questionne Urso, le poing toujours en l'air.

—Oh! j'oubliais, se ravise la dame avec un sourire complice, les fées et les ogres n'ont pas le téléphone. N'est-ce pas?

—Pas plus qu'ils n'ont besoin de permission, que je m'empresse d'ajouter.

—Si vous le dites, fait-elle d'un air pas trop convaincu.

Elle a bien raison de ne pas tout à fait me croire. Mais ce midi, ma mère ne s'inquiétera pas, car Urso et moi devions pique-niquer au lac. D'ailleurs, notre panier y est toujours. Dommage pour les œufs de dragotruchons farcis aux crottes de lapichien... Je vais devoir manger des otdogues et je me demande bien ce que c'est. Pas des animaux, j'espère!

Je le saurai plus tard. Pour l'instant, nous allons en haut, dans la chambre d'Isabelle.

Pour bien continuer à jouer mon jeu, je pousse des oh! et des ah! devant chaque objet, même devant des meubles pas tellement différents des nôtres. Mon cousin, par contre, a de quoi s'étonner pour vrai : le voilà qui brandit une curieuse statuette de femme nue, avec des seins très pointus et de longs cheveux.

—Les poupées ne sont pas des bébés, ici? s'informe-t-il. Ce sont plutôt des mères?

—T'es drôle! lance Isabelle. J'avais jamais vu Barbie comme une mère.

«Barbi»? Étrange! Cette statuette sert-elle à des rites magiques? Avec les humains, on ne sait jamais.

50

Mais oh! oh! je viens de trouver ce qu'il me faut pour en savoir plus: une étagère pleine de livres, là, juste à côté de la fenêtre!

Chapitre 5

Les grandes découvertes

Isabelle et Urso sont allés dans la « salle de jeu », la pièce juste à côté, où Isabelle a installé les jouets qui ne trouvaient pas de place dans sa chambre. Moi, j'en ai profité pour regarder les livres. Et c'est extraordinaire, tout ce que j'ai découvert! J'ai vu des images d'autos et d'avions (et non de zotos et de zavions!).

J'ai aussi constaté que les animaux humains ressemblent beaucoup à ceux de Saugrenu. Même leurs noms. Et j'ai compris une chose formidable.

Je savais déjà que les sorcières, il y a mille ans, avaient transformé les animaux de notre royaume en les mélangeant entre eux. Ma tante Ziza me l'a appris. Et elle m'a aussi appris que ce mélange avait mis le roi dans une colère telle qu'il avait fait disparaître les baguettes magiques et les grimoires.

Eh bien, grâce aux livres humains, je comprends maintenant que sans ce petit tour de nos ancêtres, à Saugrenu, nous aurions les mêmes animaux qu'ici. Par exemple, j'ai trouvé des chiens et des lapins. Et si vous mélangez ces deux noms et ces deux animaux, qu'obtenez-vous? Nos lapi-chiens!

Fascinant!

Et plus fascinant encore, ce sont toutes ces fées, ces sorcières, ces ogres et ces lutins qui peuplent les livres d'Isabelle. Enfermés là par magie? Comme on le prétend chez nous? Bouillie pour les chachouettes! Ceux que j'ai vus dans ces pages ont plutôt l'air de banals dessins.

D'ailleurs, tous ces personnages ne nous ressemblent pas, à nous les vrais. Et puis, ils ont les mains nues. Comme les humains.

Réza détesterait ces livres. Imaginez! Les sorcières y sont vilaines et nuisibles. Tandis que les fées y sont belles et aident les humains à coups de baguette magique. Mais quelle frustration! Tous ces bouquins qui parlent de baguettes n'expliquent jamais comment on les fabrique!!!

Quant aux ogres, c'est consternant : ils mangent les enfants ! Tandis que les lutins n'ont pas beaucoup d'importance, je trouve. On les montre le plus souvent comme les esclaves d'un gros ogre qui leur fait fabriquer des jouets et qui porte le nom idiot de père Noël.

Ça me bouleverse. Où donc les humains sont-ils allés chercher toutes ces sornettes ? En savent-ils plus que nous ? Étions-nous ainsi, il y a des milliers d'années ?

Tant de questions auxquelles je ne saurais répondre ! Aussi bien résoudre une énigme beaucoup plus simple : aller voir ce qui produit cette musique bizarre que j'entends. Ça vient de la « salle de jeu ».

Oh ! Est-ce que je rêve ? Isabelle et Urso sont assis devant une boîte carrée avec une vitre sur le devant. La télévitron dont m'a parlé Filip ! Les

deux manipulent de curieuses pla-
quettes avec des boutons.

—Attention! que je crie à Urso.

—Qu'y a-t-il, mademoiselle la fée?
demande Isabelle en souriant.

—Euh... tout le monde sait que les
humains emprisonnent les ogres dans
leurs télévitrons... grâce à leurs baguettes à boutons... Ha! Ha! Ha!

—TéléVISION, mademoiselle la fée,
corrige Isabelle sans même me regarder.

—De toute façon, ce n'est pas une
télé-ce-que-tu-dis, m'annonce Urso,
c'est un jeu vidéo.

À l'intérieur de la boîte, il y a un
drôle d'animal. Tout bleu, avec de
curieux pics sur la tête. Il saute, roule,
glisse et tombe! C'est effrayant! Je
demande à Isabelle si c'est elle qui l'a

enfermé là-dedans. Mais elle est bien trop occupée à agiter ses pouces sur la baguette pour me répondre.

—C'est juste un dessin! s'exclame Urso. Un dessin ANIMÉ.

—A... ni... mé... que je balbutie. Alors, c'est de la magie...

—Non, non, explique mon cousin tout en continuant lui aussi de marteler les boutons de sa drôle de manette. C'est un jeu très ordinaire chez les humains. Isabelle me l'a dit.

—En parlant de jeu, vous ne vous fatiguez jamais de jouer à la fée et à l'ogre? s'informe l'humaine, qui a l'air de plus en plus agacée.

—Bah... quand on joue à ce jeu-là, c'est toujours pour la journée. N'est-ce pas, Urso?

—Ouais, grogne-t-il, les yeux rivés sur le petit animal bleu.

Mariclode nous appelle car c'est l'heure de manger. Sa fille appuie sur de nouveaux boutons et, d'un seul coup, tout devient noir dans la boîte. Plus de musique, plus de personnages! Je ravale un petit cri.

Chapitre 6

Les informations

Dans la cuisine, il y a une autre télé-vision. Et dans celle-là, se trouve emprisonnée la tête d'une VRAIE personne. Pas un dessin! Mais où donc est passé le reste du corps de cette femme? Aïe! je commence à avoir peur, moi. J'ai été folle de venir ici.

Comme si c'était naturel, la femme sans corps sourit en disant que sa vaisselle est très propre et ses mains, qu'elle nous montre soudain, bien douces.

—Tu en fais une tête! s'étonne la mère d'Isabelle en me regardant. Assieds-toi.

Oups! La femme disparaît de la télévision. À la place, il y a maintenant une auto qui va à toute allure le long d'un chemin noir.

—On dirait que t'as jamais vu la télé, toi! fait une grosse voix.

Je sursaute. C'est le père d'Isabelle qui s'est assis à table sans que je m'en aperçoive.

—Lia est une fée, le renseigne sa fille.

—Vraiment? me demande-t-il avec un large sourire.

—Oui, monsieur. Euh... dites-moi,

comment faites-vous pour entrer tout ça dans la télévision? La femme, l'auto et... là, ces maisons!

Pour toute réponse, le père d'Isabelle éclate de rire, aussitôt imité par sa femme et sa fille. Quant à Urso, il reste figé, les yeux agrandis devant toutes ces choses qui apparaissent et disparaissent dans la boîte magique. Voyant à quel point mon cousin et moi jouons bien notre jeu, notre amie humaine s'efforce de reprendre son sérieux pour expliquer:

—Chère petite fée, la télé est comme une fenêtre par laquelle on voit des choses qui se passent AILLEURS dans le monde et non DANS la télévision.

—Des choses qui se passent pour vrai?

—Heu... pas toujours. Des fois, ce

sont des acteurs qui font semblant.

Maintenant, il y a un homme qui mange dans la boîte magique. Je demande aux humains si celui-ci nous voit, et de nouveau ils pouffent de rire.

—Assoyez-vous donc, répète Mari-clode. Et puis, enlevez vos gants!

Je lui réponds que les fées et les ogres n'enlèvent jamais leurs gants.

—Pas très commode, comme mode... Combien de hot-dogs voulez-vous?

Urso et moi crions en chœur: «UN!» Et c'est déjà trop. Drôle d'odeur, ce truc. Une espèce de bâton brun couché entre deux morceaux de pain. Et ce n'est pas tout, il faut encore verser dessus de la peinture rouge ou jaune, ou les deux.

La bouche pleine, Isabelle com-

mence à parler. Mais son père lui dit de se taire, il veut écouter les informations. Moi, je prends ma première bouchée. POUAH !

—T'exagères ! s'écrie Isabelle. Tu vas pas te forcer à haïr les hot-dogs ?

—CHUT ! insiste son père.

***

Les informations, quelle horreur ! Fini les dames aux mains douces et les souriants croqueurs de gâteaux. Il n'y a plus, dans la petite boîte vitrée, que des maisons en feu, des rivières débordées, des enfants qui ont tellement faim que leur visage se creuse. Des humains tachés de sang, étendus dans les rues d'une ville, tués par des machines fabriquées exprès pour ça. Et puis des tas de gens qui sont en colère. Et là, des poissons morts sans même avoir été pêchés, empoisonnés par l'eau dans laquelle ils nageaient et sur laquelle ils flottent désormais.

La famille d'Isabelle regarde ces images et avale ses otdogues comme si de rien n'était.

—C'est pas pour vrai, ça, hein? que je leur demande.

—Les informations, c'est pour vrai, me répond Isabelle en mastiquant sa dernière bouchée.

—Malheureusement, oui! reprend sa mère. Ce qui prouve d'ailleurs que les bonnes fées n'existent pas. N'est-ce pas, petite fée?

—Comment ça?

—Aux informations, on n'a jamais vu de fée faire disparaître le malheur d'un coup de baguette magique. Ce serait trop beau, non?

—Peut-être que les fées ont simplement perdu leurs baguettes, que je laisse échapper.

Mariclode sourit et dit :

—Eh bien, dans ce cas, retrouve vite la tienne. On a drôlement besoin de toi !

Dans la télévision, un petit garçon raconte maintenant comment un jour il a perdu ses deux bras. À cause d'une guerre, dans un pays loin de celui d'Isabelle. Il avait ramassé un truc par terre. Un truc qui explose en arrachant vos membres. Soudain, l'enfant n'est plus capable de parler, il pleure trop. Et moi aussi, je me mets à pleurer sans pouvoir arrêter. Ce petit garçon doit avoir des livres, comme Isabelle, avec des fées qui n'ont pas perdu leurs baguettes. Des fées qui auraient pu l'aider.

Mariclode veut me consoler. Le bras autour de mes épaules, elle me demande mon vrai nom. Mon nom d'humaine. J'ai le choix: Mariclode ou Isabelle. Aussi bien prendre le second.

—Oh! quelle coïncidence, se réjouit-elle. Isabelle qui?

Tu parles d'une question! Je fais semblant de ne pas avoir entendu.

—Et où habites-tu? continue-t-elle.

—... Pas loin.

Qu'est-ce qu'elle a, Mariclode, à me dévisager ainsi? On dirait qu'elle cherche à voir à l'intérieur de ma tête. Peut-être que les humains peuvent faire ça. Je baisse les yeux. Elle se lève d'un coup sec et lance:

—J'ai du gâteau au chocolat et du lait pour tout le monde!

Le chaud cola est-il aussi bon que la morve verte de chachouette? Miammm! Oui, ce gâteau humain est délicieux. Et le laid?... Bah! ça ne goûte pas grand-chose, mais c'est doux.

Après avoir tout englouti en trois bouchées et deux gorgées, Urso s'exclame:

—On joue au jeu vidéo!

—Mais c'est un vrai petit ogre! plaisante le père d'Isabelle.

Chapitre 7

Le visiteur

Ce jeu vidéo est complètement fou. Pourtant, Isabelle et Urso ont l'air de l'adorer. Ils passeraient des heures, dirait-on, à martyriser cette pauvre petite bête bleue qui se débat derrière la vitre.

Moi, je préfère regarder par la fenêtre. Peut-être qu'un avion va passer dans le ciel. Ou une auto sur ce chemin noir, là-bas, pareil à celui que j'ai vu à la télévision.

Tiens! quelque chose approche, mais pas une auto. C'est... c'est... un humain grimpé sur une barre tendue entre deux grandes roues très fines! Oh! il tourne sur le chemin de terre qui mène ici. C'est un petit garçon... c'est... c'est plus fort que moi, je crie son nom :

—Filip!

—Quoi? fait Urso.

—Pas toi. Le vrai! Euh... l'autre, je veux dire. Là, dehors.

Isabelle vient à la fenêtre et s'étonne que je connaisse aussi Filip. Après quoi, elle retourne à son jeu en disant que je dois bien m'entendre avec lui.

Que Filip aime les inventions débiles, comme moi. Et qu'il a même essayé de lui faire croire qu'il s'était fait ami avec une fée. Dans un autre monde !

Mes éclats de rire se mélangent aux battements de mon cœur. Je vais revoir Filip ! Alors que je n'osais même pas en rêver. Il descend de son drôle d'engin et l'appuie contre le balcon. Il entre.

Je cours vers l'escalier pour le regarder monter. Ça y est, il m'a vue ! Il va pousser un grand cri, mais je lui fais signe de se taire et de venir s'asseoir avec moi, sur la dernière marche.

— Mais comment es-tu venue ? murmure-t-il. Il n'y a plus de passage entre nos mondes.

— J'en ai trouvé un.

— Où ?

—C'est un secret.

Il est déçu. Je lui demande s'il a découvert les deux livres que j'avais placés dans un petit trou. Il me dit que non. Et c'est moi qui suis déçue.

—Dans ce cas, je te les apporterai.

—Où?

À lire ce que je lis dans ses yeux, j'ai envie de tout lui révéler sans me méfier.

—Tu n'as qu'à venir te promener au bord du lac où pêche Isabelle, lui dis-je simplement. Peut-être m'y rencontreras-tu un jour...

C'est merveilleux de se retrouver ainsi. Nous chuchotons encore longtemps dans la pénombre, assis côte à côte en haut de l'escalier. Soudain, une voix monte jusqu'à notre retraite. En nous penchant un peu, nous aper-

cevons Mariclode au pied des marches. Elle, par contre, ne semble pas nous avoir vus.

—Je crois qu'ils sont en fugue, explique-t-elle à un drôle de machin rouge qu'elle tient à la main. La petite fille m'a paru bouleversée, tout à l'heure. Mais elle n'a pas voulu me dire son nom de famille ni l'endroit où elle habite. Quant au petit garçon, il est vraiment très étrange. Vous verrez... Oui, c'est ça.

Mariclode place le drôle de machin par-dessus un autre, de la même couleur. Puis elle dit à son mari qui passe dans le couloir :

—J'ai appelé la police. Ils vont arriver dans quelques minutes.

—Elle parlait de toi? murmure Filip. Ils ne savent pas qui tu es?

—Ils pensent que je joue à la fée. Qu'est-ce que c'est, la peau lisse?

—La police? Vous n'en avez pas, chez vous? C'est elle qui arrête les voleurs et qui les met en prison.

—Comme les gardes royaux? Mais on n'est pas des voleurs!

—Seulement des enfants perdus, répond Filip. Retourne vite chez toi, sinon tu vas avoir des tas d'ennuis.

Deux secondes pour réfléchir et je me lance dans la chambre d'Isabelle.

—C'est l'heure de rentrer, que j'annonce. Et Filip et moi, dans ces cas-là, on joue toujours aux voleurs. Hein, Filip?

Mes yeux envoient à Urso des signaux d'urgence. Ouf! il a compris. Je reprends, pour Isabelle:

—On va dire que ta mère a appelé la peau lisse et que, nous, on doit s'enfuir sans qu'elle ne s'en aperçoive. Y a que toi qui puisses nous aider! D'accord?

Isabelle bondit en tapant des mains. Elle préfère ce jeu-là!

—Mes amis, JE sais que vous êtes de bons voleurs, proclame-t-elle sur un ton que je connais bien (celui des discours de mon père, le roi Tio. Bizarre, y aurait-il des Tio humains?). Aussi, je ne laisserai pas ma cruelle mère livrer des innocents à la police. Noooooooon! Venez par ici!

Elle se glisse dans le corridor, l'index posé sur la bouche. Tout au bout, elle ouvre la fenêtre et déroule dans le vide une échelle de corde.

—Sortie de secours, chuchotet-elle. Ça va enfin servir!

Ses yeux brillent. Elle est très excitée. Moi, beaucoup moins. Mais puisqu'il le faut...

Bon! nous touchons le sol. Penchés à la fenêtre, Filip me fait un clin d'œil et Isabelle lance d'une voix étouffée:

—Demain, on continue à jouer à ça. D'accord?

Pas le temps de répondre. J'empoigne mon cousin par le bras et je l'entraîne jusqu'en haut de la colline, puis jusqu'au lac.

—Il faut plonger ici, m'indique Urso. Devant l'érable.

Bien sûr, le même qu'à Saugrenu...

Avant de partir, je prends un souvenir. Je n'aime pas blesser les arbres, mais là, c'est spécial. Je casse et emporte une branche de cet arbuste que nous n'avons pas chez nous. Le lilas.

Chapitre 8

Notre projet

Après, tout se précipite. Je demande à Urso de garder notre aventure secrète. Et même l'existence de la caverne sous-marine. Mais je ne peux pas cacher une chose aussi extraordinaire à ma cousine Réza.

Je lui montre ma branche de lilas, un peu séchée. Et voilà qu'une idée fantastique lui vient à l'esprit.

—Tu dis qu'ils ont, là-bas, les

mêmes arbres qu'ici? demande-t-elle.

—Oui, et le lilas en plus.

—Mais alors, ce roi d'il y a mille ans, celui qui a détruit les baguettes et les grimoires, peut-être qu'il aurait aussi détruit...

—Le lilas! que je m'écrie.

—Parce qu'on en faisait des baguettes! poursuivons-nous en chœur.

Le temps de choisir une formule féerique dans mon cahier, et nous courons au jardin royal où les tulipes de grand-mère se recroquevillent. Je pointe ma branche de lilas sur l'une d'elles et déclame:

Jolie fleur qui ose faner,
Mon plaisir tu as contrarié.
Par ma baguette, sois désignée,
Pour en bouton vite retourner!

Quelques secondes passent. La tulipe garde sa mine flétrie, Réza soupire, et moi je souris. Parce que j'ai senti comme un courant d'énergie dans mon bras. Et que cette fois j'en suis certaine : on touche au but. Vraiment. Y a juste un petit quelque chose qui cloche. Mais quoi?

C'est un drôle de courant qui m'a traversé le bras et s'est arrêté à...

—Mon gant! Nom d'un fourmille-pattes cul-de-jatte! Ce sont les gants, Réza. Nous avons les mêmes arbres que les humains, sauf le lilas. Nous avions aussi les mêmes animaux qu'eux, avant le mélange d'il y a mille ans. Nous portons des gants, pas eux. Peut-être qu'il y a mille ans...

J'enlève mon gant, je reprends la branche de lilas et je récite de nouveau la formule. Cette fois, le courant passe de mon bras à la baguette, puis de la baguette à la fleur qui se redresse et referme ses pétales en un beau bouton vert.

Réza et moi, on se met à crier comme des folles; assez pour effaroucher les libelloiseaux à la sieste, attirer les gardes aux fenêtres du château et faire dégringoler Urso de son grand pin royal.

Oh! la la! je cache ma main nue dans ma poche et je m'arrête net. Je viens de comprendre qu'il ne faut pas ébruiter la nouvelle. Qu'elle doit rester entre Réza, Urso et moi.

Le tunnel sous-marin, le lilas... c'est NOTRE découverte! Et elle est trop importante pour être confiée aux adultes. Ces gens capables de boucher les passages entre les mondes. Ou d'inventer des machines à s'entre-tuer.

85

Mais il y a toujours notre promesse d'exaucer le vœu de l'ogre.

***

Quelques mois ont passé. Ma baguette a perdu ses feuilles et ses fleurs. Elle est bien lisse. Et elle fonctionne à merveille. Mais ça, c'est un secret. Un secret partagé avec un ogre qui a maintenant de jolis poils lustrés et plusieurs kilos en moins.

J'ai de grands projets pour ma baguette. Très grands! C'est décidé, un jour j'irai dans l'autre monde pour aider les humains. Comme les fées le faisaient jadis.

Et pas toute seule. Non! J'organiserai de véritables expéditions. Des amis lutins, ogres, fées et sorcières se glisseront partout sur terre et essaieront d'empêcher les malheurs que j'ai vus à la télévision. Mais il faudra agir sans être remarqués, de façon que personne là-bas ne sache QUI nous sommes ou quels sont nos pouvoirs. Ainsi, aucune espèce de méchants ne seront tentés de nous utiliser à leur guise.

Pas de fées aux informations! Ça fait partie du plan que j'élabore depuis des jours avec mes quatre complices: Réza, Urso... Filip et Isabelle!

Eh oui! nous avons tout de même deux petits humains dans notre équipe. Je me demande d'ailleurs ce que nous ferions sans eux. Par exemple, ils nous prêtent des livres qu'ils enveloppent dans des sacs de plastique pour la traversée du passage sous l'eau. Et c'est grâce à ces livres que nous découvrons tout ce qu'il faut savoir sur l'autre monde.

Puis Filip m'a montré à voyager sur une bicyclette. Et j'ai visité mon premier village, chez lui!

Bien sûr, il nous reste beaucoup de travail à faire avant de commencer pour vrai. Apprendre des tas de trucs, préparer les bonnes formules magiques pour les humains modernes, trouver le meilleur moyen d'amener les habitants de Saugrenu à nous suivre dans notre projet.

Mais nous avons tout le temps qu'il faut. Nous sommes des enfants et notre plan grandira avec nous, voilà.

Nom d'une papirondelle au ciel! Les choses n'ont pas fini de changer. Ni à Saugrenu, ni dans l'autre monde, ni dans ma tête à moi, Lia, petite princesse des fées.

Table des matières

Mot de l'auteure
Danielle Simard

Quelle découverte extraordinaire pour Lia! Elle retrouve non seulement le secret des baguettes magiques, mais aussi leur raison d'être et... qui sait? peut-être même la raison d'être des fées. Un jour, Lia et ses amis viendront ici, aider les humains qui en ont tant besoin. Cependant, ne cherchez pas à les reconnaître, ils voyageront chez nous incognito.

Oh! et puis non, cherchez-les et, si vous en avez envie, joignez-vous à eux! Surtout, ne vous fiez pas aux apparences. Aucun chapeau pointu sur la tête de ces gens-là, et très peu de branches de lilas cachées dans leurs manches. Parce que les miracles, ils s'en rendront bien compte, on les réussit le plus souvent avec un grand cœur, une grande oreille, beaucoup de courage et une main tendue.

Mot de l'illustrateur

Philippe Béha

J'ai enlevé mes chaussures. J'ai enfilé mes gants. J'ai mis mon maillot de bain et j'ai plongé dans le lac derrière Lia. Je ne peux résister à la suivre dans ses aventures...

Par la barbichette de mon pinçon (croisement du pinceau et du crayon), que ce monde des humains est étrange! Je suis certain qu'un petit coup de baguette magique le rendrait plus amusant et, pour cela, je fais confiance à Lia.

Dans la même collection

Bergeron, Lucie,
Un chameau pour maman 🕊
La grande catastrophe 🕊
Zéro les bécots! 🕊
Zéro les ados! 🕊
Zéro mon Zorro! 🕊

Bilodeau, Hélène,
Jonas dans l'ascenseur 🕊

Boucher Mativat, Marie-Andrée,
La pendule qui retardait 🕊
Le bulldozer amoureux 🕊
Où est passé Inouk? 🕊
Une peur bleue 🕊

Campbell, A.P.,
Kakiwahou 🕊

Cantin, Reynald,
Mon amie Constance 🕊 🕊

Comeau, Yanik,
L'arme secrète de Frédéric 🕊
Frédéric en orbite! 🕊

Cusson, Lucie,
Les oreilles en fleur 🕊

✦ lecture facile
✦ ✦ bon lecteur

ACHEVÉ D'IMPRIMER
EN SEPTEMBRE 1996
SUR LES PRESSES DE
PAYETTE & SIMMS INC.
À SAINT-LAMBERT (Québec)